メスティンレシピ

煮飯神器露營料理

蒸煮、香煎、熱炒、煙燻，
99道熱呼呼露營料理

戶外煮飯神器愛好會／著　洪薇／譯

LOVE
MESSTIN
!

前言

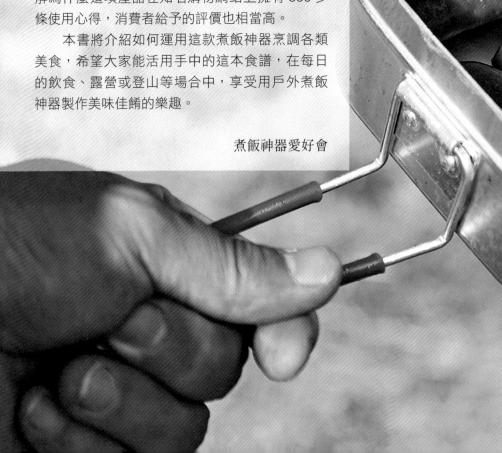

　　「Trangia」是源自於瑞典的品牌，主要銷售攜帶式爐具等露營相關產品，在日本的登山、露營愛好者間，也是頗具名氣的酒精爐製造商。

　　而這間製造商出品的一款鋁製烹調器具——「Mess Tin 煮飯神器」，有著簡約的設計和百看不厭的外型，是它大受好評的祕密。

　　此外，雖然它的構造簡單，用途卻廣泛多元。不但能用來炊煮白米飯，其它包括燉煮、清蒸、清炒、燻製等各類烹調方式也都難不倒它。

　　再加上如此多功能的產品，定價僅台幣千元有找，如此高的 CP 值也是它的魅力所在。可以理解為什麼這項產品在知名購物網站上擁有 600 多條使用心得，消費者給予的評價也相當高。

　　本書將介紹如何運用這款煮飯神器烹調各類美食，希望大家能活用手中的這本食譜，在每日的飲食、露營或登山等場合中，享受用戶外煮飯神器製作美味佳餚的樂趣。

煮飯神器愛好會

Contents

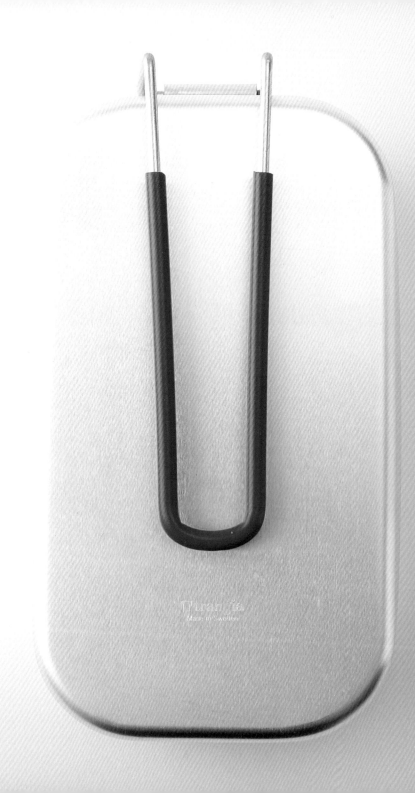

序 章
快速了解煮飯神器

設計簡約、價錢親民的「煮飯神器」，

不僅功能豐富，還適用於各種烹飪方式，

您絕對會深深愛上這款戶外烹飪好幫手！

讓我們一起更深入瞭解「煮飯神器」的功能與用途吧！

1

煮飯神器的魅力

　　在日本由岩谷達人代理的 Trangia 超人氣煮飯盒「Mess Tin 煮飯神器」，鋁製盒身擁有高導熱率，能輕鬆完整導熱，炊煮出美味的米飯，也因重量輕盈受到許多登山愛好者的喜愛。此外，簡約又復古的造型，不僅登山者與戶外活動愛好者相當喜歡，在各領域間也擁有相當高的人氣。

把手有黑色跟
紅色兩種！

2
煮飯神器的尺寸

　　煮飯神器分成正常版和加大版兩種尺寸，兩者從外觀看起來都是鋁製復古便當盒，但特色是內部擁有驚人的深度。一般尺寸的正常版可供個人使用，加大版則可炊煮出 3.5 合的米飯（相當於 630ml，約三人份），登山時還可用來收納其它烹調工具，十分方便。

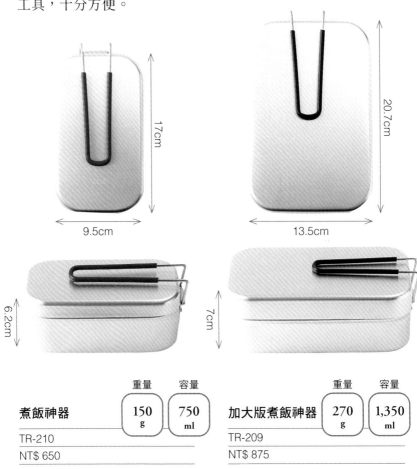

	重量	容量
煮飯神器	150 g	750 ml
TR-210		
NT$ 650		

	重量	容量
加大版煮飯神器	270 g	1,350 ml
TR-209		
NT$ 875		

3
煮飯神器的優點

　　如前所述，使用煮飯神器烹調的優點是它極高的導熱率。煮飯神器原本的功能就是直火炊飯，然而它不但能用來煮飯，還能用以燉煮料理、麵類，也能拿來快炒或清蒸，鋪上蒸架後更能製作燻製料理，可說是用途廣泛的萬能烹調器具。再加上價錢親民，CP 值簡直高得嚇人。

基本功能是直火炊飯

煮飯神器最基本的功能就是煮飯，後面的篇幅中也會跟各位介紹炊煮方式，只要熟悉流程就不容易失敗。而且使用煮飯神器煮出來的米飯比電鍋還美味（也許是辛苦炊煮後更顯美味吧），總之建議各位一定要試看看！

燉煮料理也能輕鬆完成

能炊飯的話，用來燉煮自然也是小菜一碟。登山時都會想簡單料理食材，或許用來燉煮比炊飯更為常見呢。比方說，煮飯神器就很適合拿來煮一人份的泡麵或義大利麵等料理。

也能當成平底鍋

雖然也能用煮飯神器煎烤肉類或清炒料理，但純鋁製的表面很容易產生焦垢。若把它當成表面已加工過的烹飪工具，用相同的方式料理則很容易失敗。煎烤、快炒時應大量用油，且必須隨時緊盯料理進度才行。

蒸 意外適合用來蒸煮

以高導熱率著稱的煮飯神器，意外地適合用來蒸煮食物。由於蒸煮含有水分，不像清炒那麼容易失敗，非常推薦新手嘗試蒸烤類的食譜。使用煮飯神器完全加熱食材，作出美味可口的料理。

燻 享受燻製料理的樂趣

如前所述，戶外煮飯神器的深度超乎想像，就算鋪設蒸架，上方也有足夠的空間能放入食材。燻烤時要在底部鋪上鋁箔紙，上方再依序鋪上燻製木片、蒸架，最後放上食材。

4
使用煮飯神器前的儀式

　　購買煮飯神器後，在開始烹調前有一些必做的儀式，那就是幫它「修毛邊」與「開鍋」。雖然有點費工，但想到煮飯神器本身購買的價格親民，也就不會那麼介意了。而且這個步驟只需在最開始進行一次即可，反倒能當成喚醒煮飯神器的保養手續，更能加深與煮飯神器的情誼。

去毛邊

觸摸新買的煮飯神器邊緣時，會發現有粗糙感，為避免不小心弄傷手指，我們必須先幫它去毛邊。

❶ 準備細緻的砂紙與紗棉手套或皮手套。

❷ 用砂紙仔細磨擦本體與蓋子邊緣。

❸ 直到徒手摸不到粗糙感，去毛邊就完成了。

開鍋

開鍋（seasoning）一般是指在開始使用鐵製鍋子前，讓鍋具更適應油的步驟。戶外煮飯神器的開鍋則是使用洗米水，這個步驟能減輕器具的鋁臭味，還能預防加熱時產生黑垢。

① 在鍋中注入足以浸泡整個煮飯神器的洗米水。

② 將戶外煮飯神器泡入其中並加熱。

③ 煮大約 15 ～ 20 分鐘左右，就能在表面形成米的皮膜。

不容易產生
焦垢的煮飯神器

鋁製的煮飯神器須留意焦垢附著的問題，但現在有廠商推出施以不沾塗層加工、較不易產生焦垢的煮飯神器。料理後只需用廚房紙巾就能擦除髒污，保養手續簡單。登山沒有水或清潔劑時，真的超級方便。

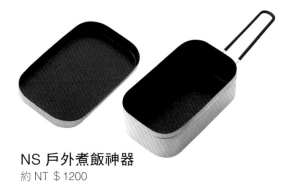

NS 戶外煮飯神器
約 NT ＄1200

5
用煮飯神器炊飯

完成去毛邊和開鍋步驟後，我們這就來用煮飯神器炊飯吧。為什麼大家都說用煮飯神器炊飯不會失敗呢？原因是炊飯最重要的水量不用另外測量，用眼睛確認即可。只要記住這一點，無論是誰都不會失敗。煮飯神器愛好者之所以會如此著迷，就是因為它能這樣按部就班地炊飯。

炊煮步驟

炊煮 1 合（180ml）的米所需的水約為 200ml，但在登山等場合很難測量正確的水量。煮飯神器的本體與手把間有兩處接點（鉚釘），煮飯時無須量杯，只需將水裝到圓形直徑的位置即可。

> 一般是將水裝到直徑的位置，若喜歡偏硬的口感則可以加到鉚釘下方，想要偏軟則加至上方。

1 確實浸泡

裝入米並倒入想要的水量後，請靜置 30 分鐘～ 1 小時左右，讓米充分吸收水分（就算不是用煮飯神器炊飯，浸泡步驟也很重要）。

> 中央特別容易燒焦，建議偶爾改變加熱位置。

2 炊煮約 17 ～ 20 分鐘

加熱步驟 **1**。中途可能會因沸騰而溢出，可以壓上石頭或罐頭。大約 15 ～ 20 分鐘等沸騰聲消失後，將其移開火源。

> 倒放能讓底部的水分均勻蒸到所有米飯。

3 倒放悶蒸

翻轉整個飯盒。這時為避免燙傷，請穿戴棉質或皮手套，或使用布料包覆拿起。最後悶蒸 15 分鐘左右即可（就算不是用煮飯神器炊飯，悶蒸步驟也很重要）。

4 ／ 完成 ＼

6
用固體燃料自動炊飯

　　還有另外一個絕不會失敗的自動炊飯法——就是使用固體燃料煮飯。這個方法既不用調節火力，也無須顧火。說成自動煮飯好像有點誇張，但其實就是點上火之後，只要放著就能煮出美味的米飯。以下是分別用兩種固體燃料煮飯的實驗結果。

百元商店
販售固體燃料

這種能在百元商店買到的固體燃料，在居酒屋等商家也很常使用。照片中的規格為25g，能燃燒18～25分鐘。這種燃料的優點是點火容易且火力穩定，外層還包有鋁箔，收拾也很方便。

可分割的
片狀固體燃料

板狀軍用固體燃料能依所需的量進行分割。總量為15g左右，大約能燃燒15～20分鐘。這款燃料在海拔較高的山上或冰點以下的環境也能燃燒，不起煙也不會殘留燃燒氣體，燃燒效率與安全性皆十分優異。

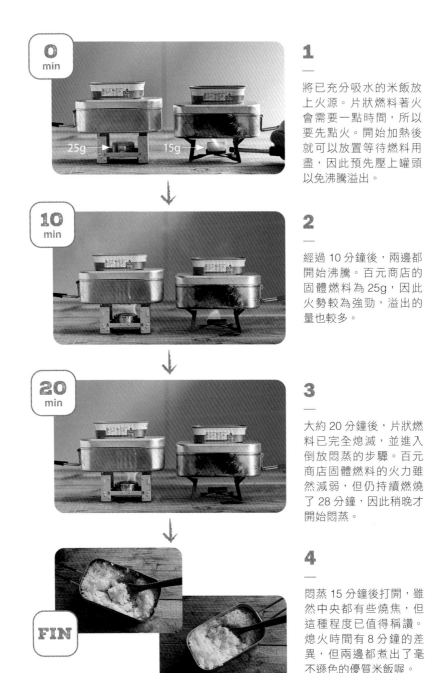

1

將已充分吸水的米飯放上火源。片狀燃料著火會需要一點時間，所以要先點火。開始加熱後就可以放置等待燃料用盡，因此預先壓上罐頭以免沸騰溢出。

2

經過 10 分鐘後，兩邊都開始沸騰。百元商店的固體燃料為 25g，因此火勢較為強勁，溢出的量也較多。

3

大約 20 分鐘後，片狀燃料已完全熄滅，並進入倒放悶蒸的步驟。百元商店固體燃料的火力雖然減弱，但仍持續燃燒了 28 分鐘，因此稍晚才開始悶蒸。

4

悶蒸 15 分鐘後打開，雖然中央都有些燒焦，但這種程度已值得稱讚。熄火時間有 8 分鐘的差異，但兩邊都煮出了毫不遜色的優質米飯喔。

※ 固體燃料的燃燒時間會受到氣溫（室溫）與風勢的影響。

7
備齊專用配件

　　煮飯神器的妙處大家應該都已了解，接下來要再介紹能讓煮飯神器使用起來更方便的配件。這些配件不是必備品，但由於煮飯神器本身構造簡單，先準備起來絕不會吃虧，還能嘗試更多烹飪方式。而且加上這些輔助工具，更能培養對煮飯神器的情感喔。

煮飯神器
專用帆布袋

TR-CS210

NT$ 300

煮飯神器的蓋子不像一般便當盒可以牢牢固定，若直接放進背包，蓋子有可能會脫落，導致收納的物品四散。如果裝進專用袋，就能安心收進背包裡（也有加大版煮飯神器用的尺寸），有一些獨立品牌也有銷售這樣的專用袋。

煮飯神器
皮革手把套

TR-620210（顏色：沙黃）

TR-621210（顏色：黑）

NT$ 610

雖然用噴槍等小火加熱時，手把並不會那麼燙，但如果是用營火加熱時，就會需要這個皮革手把套。上面還印有 Trangia 的標誌，讓人對煮飯神器更加愛不釋手。手把套一樣有他牌銷售的專用款。

煮飯神器
專用不鏽鋼 SS 蒸架

TR-SS210

NT$ 220

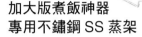

加大版煮飯神器
專用不鏽鋼 SS 蒸架

TR-SS209

NT$ 250

配合各種尺寸的專用蒸架是製作蒸煮與燻製料理時的必備品。雖然不少使用者也會以備料蒸架替代使用，不過現在也出了專用蒸架，不妨使用看看並比較其中差異。

迷你手把

TR-TH-28

NT$ 165

這是 Trangia 小型平底鍋與鍋具專用的手把，可用來打開煮飯神器的蓋子，在烹調中需掀開查看時非常方便。

鋁製手把

TR-TH-25

NT$ 305

這款把手能夾住厚度1mm 左右的鍋具或平底鍋。想用煮飯神器的蓋子炒菜時超級好用。手把本身有進行鏤空加工，重量極輕。

也有些愛好者會利用橡膠吸盤式智慧型手機支架，用來掀開發燙的煮飯神器蓋子。像這樣自行發現方便好物也是一種樂趣。

戶外用品店
販售獨家色款

山形縣山形市的戶外用品店 DECEMBER有代理多間獨家裝備品牌，其中就有將煮飯神器進行獨家顏色烤漆加工的款式，皮革質感的表面不易留下傷痕，能仔細玩味高級又獨特的氛圍。

DECEMBER 獨家 Trangia 煮飯神器

NT$ 1880

顏色：紅‧橄欖綠

商店：OUTDOOR SHOP DECEMBER

8

煮飯神器收納術

　　本書先前就有提到煮飯神器的高收納性，就讓我們來看看實例。特別是要去登山時，如何將必備品都收進背包的技巧尤為重要。以下將由實際有在登山時使用煮飯神器的愛好者來分享他們的收納範例。各位可參考這些爐具與食材的收納技巧，想出屬於自己的收納術。

設計師

菅沼祥平

活躍於雜誌與書籍領域的平面設計師。登山時的裝備屬於超輕派，在講究輕量化的同時，努力維持料理的豐富性。

———

想追求極致輕量化時，就需要出動酒精爐，而這時具有深度的煮飯神器就是超好用的收納盒，它能剛好塞入我最愛用的爐具與燃料瓶。美乃滋除了能增加滋味變化，還能當作油的代替品，因此我一定會攜帶一瓶小尺寸使用。此外，能分裝鹽巴與胡椒的MSR調味罐在收納時也能派上用場。

編輯	株式會社See The Stars代表

渡邊有祐

職業為編輯作家，曾經手多本露營、登山等戶外活動相關的書籍、期刊與雜誌。除了喜愛登山露營外，冬季也會尋訪山林，一年四季都在享受登山的樂趣。

在山上製作料理時，最不可或缺的食材就是雞蛋！不管是泡麵還是烏龍麵都能加進去一起煮。我會將它們謹慎地裝進煮飯神器中，以免在攜帶過程中破掉。至於其他空間，我則是找了能用來填滿空隙的物品，比如爐具、小刀、筷子與湯叉等，於是最終完成了這樣的組合。

千秋廣太郎

戶外料理專門食譜網站「sotorecipe」的經營者。私下的興趣也是露營與登山，在本書中也有提供私房食譜。

我是個在山裡也想享受美食的人，因此平常會攜帶多種烹飪器具上山，但這裡介紹的是能完成煮湯或炊飯等簡易料理的組合。選擇固態燃料就能把整顆燃料收進煮飯神器內，有效減輕背包負重。

第 1 章

炊

本章將運用煮飯神器本身具備的煮飯盒功能，

挑戰各式炊飯料理的食譜。

另外也很推薦先簡單煮出白飯後，

再做成親子丼或打拋豬肉飯等變化料理喔。

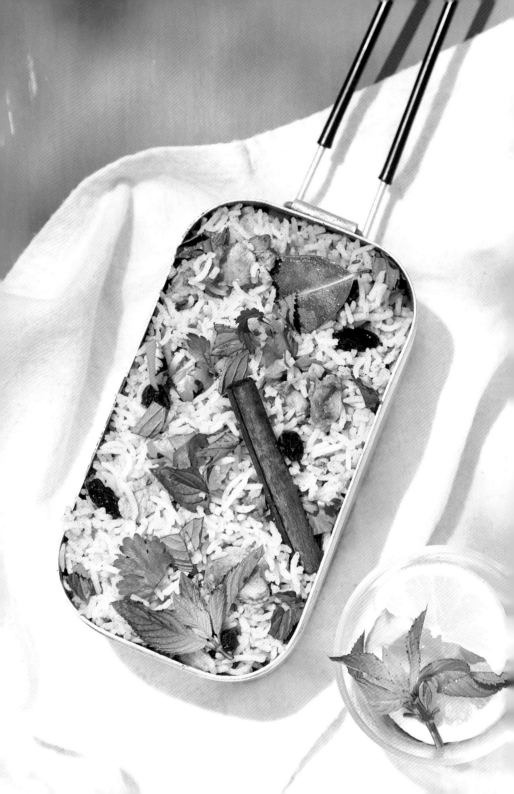

☑炊 ☐燉、煮 ☐蒸 ☐炒、煎 ☐燻

簡易印度香飯

用戶外煮飯神器輕鬆煮出巴基斯坦的
蒸飯料理！

材料（2 人份）

巴斯馬提米……180ml ／孜然……適量／植物油……2 小匙

A | 雞肉（切小塊）……80g ／咖哩粉……2 小匙
鹽……1/3 小匙多一點／洋蔥丁……1/6 顆／蒜末……1/4 小匙
原味優格……2 大匙／薑末……1/4 小匙

B | 奶油……1 片／葡萄乾……20 粒／肉桂……1 根
月桂葉……1/2 片

C | 香菜、薄荷、檸檬……適量

作法

1 混合材料 A 後，放進冰箱醃製入味 30 分鐘。

2 清洗巴斯馬提米，過篩後瀝乾 15 分鐘。

3 將孜然、植物油加進煮飯神器中，並以小火加熱。

4 等香氣出來後，加入材料 A 拌炒。

5 把步驟 2 與 250ml（額外）的水倒入步驟 4 中，接著放入材料 B，並以稍大的中火加熱。

6 沸騰後，將火力轉至內容物不會溢出的程度，並繼續加熱 3 ～ 4 分鐘。

7 待米的表面沒有水分後，蓋上蓋子再以小火加熱 10 分鐘。

8 用布包裹悶蒸 15 分鐘後即可開蓋。撒上鹽巴輕輕混合調味後，最後再撒上材料 C 就完成了。

POINT 推薦選用混合多種香辛料的市售咖哩粉。

鹽漬鮭魚飯

步驟簡單的鮭魚飯最適合作為露營時的早餐

材料（2人份）

無洗米……180ml ／料理酒……1 小匙／水……200ml
茗荷……1 個／鹽漬鮭魚……1 片

作法

1 將無洗米與料理酒加進煮飯神器中，加水靜置 30 分鐘。

2 在步驟 **1** 中放入切絲的茗荷、鹽漬鮭魚後，蓋上蓋子以固體燃料
加熱（使用爐頭時則加熱 17 ～ 20 分鐘左右）。

3 待固體燃料熄滅後，將煮飯神器整個朝下倒放，並用布料包裹悶
蒸 10 分鐘。

Ⓟoint 推薦選用中辣的鹽漬鮭魚。以固態燃料炊飯的方法請參照 p.20。

打拋豬肉飯

咖啡廳的人氣菜單！
運用煮飯神器重現正統泰式料理

材料（2 人份）

> 無洗米……180ml ／蒜頭……1 瓣／洋蔥……半顆／紅椒……1/4 顆
> 沙拉油……適量／雞蛋……1 顆／豬絞肉……100g
> 鹽巴、胡椒……適量／羅勒……適量
> A│泰國魚露……2 小匙／砂糖……一撮

作法

1 用煮飯神器炊飯（水另外加入）。

2 將蒜頭切碎，洋蔥、紅椒切絲。

3 米飯煮好後，在蓋子上倒油煎出太陽蛋。將蛋取出備用，再放上
　豬絞肉與步驟 **2** 一同拌炒。

4 等洋蔥炒軟後，加入材料 **A**，以鹽、胡椒調味後，再拌入羅勒。

5 將步驟 **4** 盛到飯上，最後再放上太陽蛋。

ⓅOINT 用蓋子煎蛋時，要小心不要燒焦。

40 MIN ☑炊 □燉、煮 □蒸 □炒、煎 □燻

海南雞飯

飽含雞肉高湯，好吃到讓人難以自拔！

材料（2人份）

雞腿肉……1/2 隻／生薑……適量／蒜頭……1 瓣／珠蔥……適量
無洗米……90g ／水……90mg ／醬油……適量／泰國魚露……適量

作法

1 雞腿肉切成 1.5cm 厚。生薑、蒜頭切碎，珠蔥切成蔥花。

2 在煮飯神器內加入米跟水，放上生薑、蒜頭，擺上雞腿肉後靜置 30 分鐘。

3 以大火加熱步驟 2，沸騰後用小火炊煮 10 分鐘。離火後再悶蒸 15 分鐘。

4 混合醬油、泰國魚露製作醬料。

5 開蓋後，淋上步驟 4、撒上蔥花就大功告成。

🅟OINT 用叉子等工具在雞腿肉上戳洞會更容易入味。

1

☑炊 ☐燉、煮 ☐蒸 ☐炒、煎 ☐燻

花蛤玉米飯

小朋友也愛吃的西式蒸飯

材料（2 人份）

無洗米……180ml ／罐裝花蛤（總量 130g）……1 罐
罐裝玉米（總量 85g）……1 罐／料理酒……1 小匙／鹽巴……少許
奶油……1 片／蘿蔔嬰……適量

作法

1 在煮飯神器內加入無洗米、花蛤汁、玉米汁、料理酒、鹽後，倒入
  水（加到鉚釘的高度為止）並靜置 30 分鐘。

2 放入花蛤、玉米、奶油後蓋上蓋子，並點燃固態燃料（使用噴槍時
  請加熱 17 ～ 20 分鐘左右）。

3 火熄了之後，將煮飯神器整個朝下倒放，並用布包裹悶蒸 10 分鐘。

4 撒上蘿蔔嬰。

🅟oint 建議使用固體燃料自動炊飯（p.20），之後只需翻轉悶蒸即可。

滿滿花蛤的西班牙海鮮飯

煮飯神器使用者一定要嘗試的料理！
色彩繽紛的西班牙海鮮飯拍起來超上鏡

材料（2人份）

雞腿肉……1/4 隻／甜椒（紅、黃）……各 1/4 顆／無洗米……90g
水……90g ／西班牙燉飯調理包（市售）……1/2 袋
高湯（固體）……1 塊／花蛤……8 顆

作法

1 將雞腿肉、甜椒切成 1cm 的塊狀。

2 先將米、水、西班牙燉飯調理粉包、高湯加入煮飯神器內，隨後
放入剩下的所有材料並靜置 30 分鐘。

3 以大火炊煮步驟 2，等到沸騰後轉小火炊煮 10 分鐘，離火後再悶
蒸 10 分鐘。

Ⓟoint 可依喜好加入章魚、花枝、鮮蝦等食材，享受不同的風味。

日式乾咖哩

加入番茄醬提味，更能帶來清爽的酸味！

材料（2人份）

米……180g ／水……180ml ／蒜頭……1 顆／洋蔥……1/4 顆
番茄……1/2 顆／橄欖油……適量／雞蛋……1 顆／牛絞肉……100g
小麥粉……1 大匙／番茄醬……1 又 1/2 大匙／咖哩粉……1/2 大匙
黑胡椒……適量

作法

1 用煮飯神器炊飯。

2 蒜頭、洋蔥切碎，番茄切丁。

3 米飯煮好後，於蓋子上倒入橄欖油煎好太陽蛋並取出。

4 用蓋子拌炒蒜頭、洋蔥與牛絞肉。待絞肉變色後，加入小麥粉拌炒，隨後再加入番茄、番茄醬、咖哩粉繼續拌炒。

5 將步驟 4 盛到飯上，最後擺上太陽蛋。另外可依喜好撒上黑胡椒調味。

POINT 在拌炒的同時依序放入食材能更添風味。

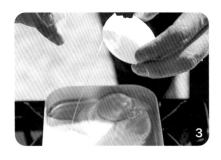

☑炊 □燉、煮 □蒸 □炒、煎 □燻

雙蛋親子蓋飯

在收尾時打上一顆蛋,讓滑順的口感更升級!

材料(2人份)

無洗米……180g ／水……180m ／雞腿肉……1/4 隻/洋蔥……1/2 顆
珠蔥……適量/白高湯……30ml ／醬油……20ml ／雞蛋……2 顆

作法

1 用煮飯神器炊飯。

2 將雞腿肉切成 1cm 的塊狀,洋蔥切絲,珠蔥切成蔥花。

3 米煮好後,在煮飯神器的蓋子放上雞腿肉、洋蔥、白高湯、醬油,用小火煮到雞腿肉熟透為止。

4 肉煮熟後,倒入 1 顆打散的雞蛋並轉成大火。

5 用煮飯神器炊煮完成的白飯上盛上步驟 4,並於中央擺上蛋黃,最後再撒上蔥花。

🅿ᴏɪɴᴛ 打散的蛋液先倒入 2/3,幾分鐘後再倒入剩下的 1/3,這樣便能煮出軟嫩的口感。

3

簡易蛋包飯

只需從上方淋上蛋汁即可
深受大眾喜愛的家常料理

材料（2 人份）

無洗米……90g ／水……90ml ／雞腿肉……1/4 隻／洋蔥……1/2 顆
番茄泥……50g ／番茄醬……2 大匙／高湯塊……1 塊／鹽……適量
胡椒……適量／雞蛋……2 顆

作法

1　將米、水、雞腿肉、切細的洋蔥、番茄泥、番茄醬、高湯塊、鹽、胡椒放進煮飯神器中炊煮。

2　煮好後先用湯匙攪拌，接著從上方淋上打散的雞蛋，隨後蓋上蓋子以小火煮大約 2 分鐘。

3　開蓋後可依喜好擠上番茄醬（材料外）後就完成了。

ⓅOINT 雞肉切小塊一點比較容易熟。

2

炊飯篇

炊飯是香氣十足又美味的料理。本篇將介紹做法簡單，但味道卻絕不馬虎的精緻炊飯料理。

@x_xx_yurucamp_xx_x

🍴 繽紛番茄醬炊飯

料理方式簡單，只需用奶油拌炒食材後，再與調味料和白飯一同炊煮即可。最後撒上歐芹便能妝點出一道色彩繽紛的料理。注意食材本身也有水分，水加太多飯會變得太軟。推薦可放上炒蛋變化成簡易蛋包飯；或是加上白醬與起司，用噴槍炙燒焗飯！

🍴 吻仔魚毛豆炊飯

用毛豆、白米以及香氣四溢的吻仔魚一起炊煮而成。調味料只有簡單的鹽巴與醬油，因此能吃到食材原有的美味。調味料建議一開始先加一點，之後再一邊試味道一邊調整鹹淡。另外可使用冷凍毛豆，料理起來更省力。

@soroken_

@ryuto2003

🍴 簡易海南雞飯

只需將米與雞肉一同炊煮，就能做出可口的海南雞飯。加上泰國魚露與香菜後，就是一道充滿異國風味的料理。若加入切細的生薑一起煮，能讓白飯更香更開胃。

@noguts1960

🍴 醬油沙丁魚罐頭炊飯

用醬油沙丁魚罐頭製作簡單又美味的炊飯。梅干可以整顆直接丟進去，過程完全無須動刀超方便。梅干的酸味能讓沙丁魚的甜味與醬油香氣更對味，同時提升料理的風味。

@kimuco_kitchen

🍴 繽紛西班牙風炊飯

只需水與西班牙燉飯調理包就能完成，但先用油拌炒米飯並加入蒜頭能做出更正宗的味道。甜椒建議最後再加，這樣不但能留住鮮脆的口感，顏色也比較鮮豔。

@maripou25

🍴 生薑章魚炊飯

將切碎的章魚與米飯一起炊煮，加入大量生薑能煮出香氣四溢又清爽的風味。建議選用生食等級章魚，享受軟嫩彈牙的口感。

第 2 章

煮

有深度的煮飯神器

除了很適合用來製作拉麵或義大利麵，

也能用來燉煮濃湯或火鍋等湯類料理。

甚至連油封料理也都沒有問題，

用途可說是不勝枚舉。

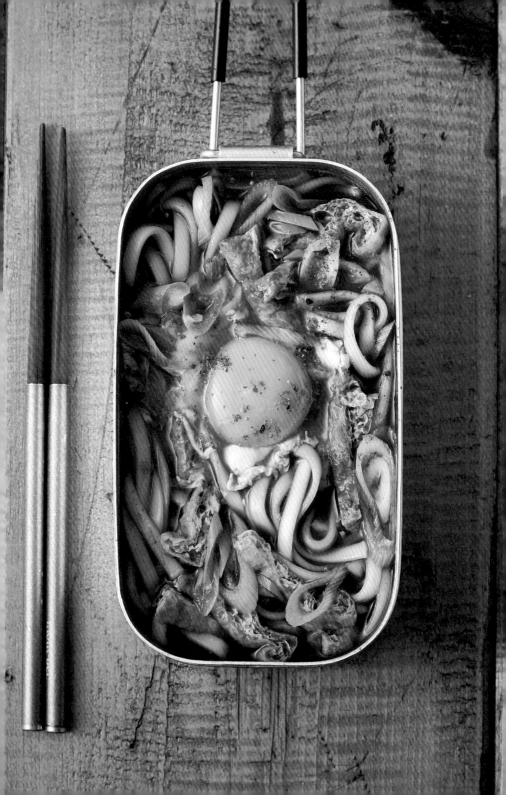

味噌烏龍麵

熱呼呼的烏龍麵，離火後請趁熱盡早享用！

材料（1 人份）

柴魚高湯……1 小匙／烏龍乾麵……80g ／紅味噌……2 小匙
砂糖……1/2 小匙／蔥……適量／油炸豆皮……適量／雞蛋……1 顆

作法

1　在煮飯神器倒入 450ml（額外）的水，將柴魚高湯煮沸。

2　撈去浮沫後，加入乾麵。這時應不時地攪動麵體以免黏底。

3　等乾麵稍微變軟後，加入紅味噌並攪拌均勻，而後再加入砂糖、青蔥與油炸豆皮燉煮。

4　打入一顆蛋後，蓋上蓋子並稍微留點縫隙，燉煮 2 ～ 3 分鐘後即可上桌。另外，最後可隨意撒上七味粉調味。

POINT　煮麵時若水量有減少，要再加水至足量。

☐炊 ☑燉、煮 ☐蒸 ☐炒、煎 ☐燻

法式焗烤馬鈴薯

用鬆軟可口的馬鈴薯
做出一道經典的法國鄉村料理

材料（2 人份）

馬鈴薯……2 顆／豆漿……150ml ／披薩用起司……適量

A
│ 雞高湯……1/2 小匙／蒜末……1/4 小匙／砂糖……1 小匙再少一點
│ 橄欖油……少許／肉豆蔻粉……少許／鹽……少許
│ 黑胡椒……少許

作法

1 仔細清洗馬鈴薯並擦除水分，隨後帶皮切成 5mm 寬的片狀。

2 於煮飯神器倒入豆漿與材料 **A**，輕輕混合後再加入步驟 **1**。

3 輕輕蓋上蓋子，以偏弱的中火加熱。

4 沸騰後攪拌豆漿，接著轉小火煮到馬鈴薯變軟為止。

5 加入披薩用起司，蓋上蓋子再燉煮 2 ～ 3 分鐘，最後用噴槍炙燒
表面。

ⓅOINT 推薦使用男爵馬鈴薯。

30 MIN　□炊　☑燉、煮　□蒸　□炒、煎　□燻

法式燉白菜

湯裡充滿燉煮蔬菜的甜味，當成主菜也很合適

材料（2 人份）

白菜……1/8 顆／馬鈴薯……1 顆／洋蔥……1/2 顆／紅蘿蔔……1/2 條
美姬菇……1/8 株／水……300ml ／高湯塊……1 塊／鹽……適量

作法

1　將白菜切成能放進煮飯神器的厚度。

2　馬鈴薯、洋蔥切成 2 等分，紅蘿蔔切片，並預先剝除美姬菇的根部。

3　把所有材料放入煮飯神器內，並加入水、高湯塊、鹽，接著用大火煮至沸騰。

4　湯滾後轉成小火，燉煮 15 分鐘後就完成了。

 POINT 可適當調整水量，以免沸騰時溢出。

□ 炊　☑ 燉、煮　□ 蒸　□ 炒、煎　□ 燻

番茄雞肉越南河粉

滿是鮮美雞肉高湯的異國麵類料理

材料（2 人份）

雞腿肉……1/2 隻／番茄（中）……1/4 顆／珠蔥……適量
水……200ml ／河粉……50g ／雞骨湯……2 小匙／鹽……適量
豆芽菜……50g ／泰國魚露……2 小匙／檸檬……適量

作法

1　雞肉切成 1cm 寬。番茄切片，珠蔥則切成蔥花。

2　在煮飯神器內放入水、河粉，以大火煮滾。

3　放入雞骨湯、鹽、雞腿肉，將肉燉煮至熟透。

4　加入番茄、豆芽菜，以小火煮約 5 分鐘，加入泰國魚露調味，最後撒上蔥花。

POINT　可依喜好加入檸檬，更添清爽風味。

□炊 ☑燉、煮 □蒸 □炒、煎 □燻

檸檬義大利麵

用檸檬切片華麗妝點，可撒上大量起司粉享用

材料（1 人份）

快煮型義大利麵……100g ／切片檸檬……3 ～ 4 片／起司粉……適量

A　奶油乳酪……35g ／奶油………1 片／檸檬汁……2 小匙
　　蒜末……1/3 小匙／胡椒……適量／砂糖……適量

作法

1 把麵條折半後放進煮飯神器中，水（額外）加到蓋子線為止，並加入 1/4 小匙的鹽（額外）。

2 用大火～中火加熱步驟 1，煮的時候要攪散，並煮到半熟為止。

3 煮好後熄火，僅留下到麵體高度的水量，剩下的都倒掉。放入材料 A 後，以小火加熱並攪拌均勻。

4 等整體開始變得黏稠後就熄火，最後再放上檸檬，撒上起司粉。

Ｐoint 選擇快煮型義大利麵能縮短烹飪時間，還能節省燃料費。

千層白菜豬肉鍋

疊滿肉片與蔬菜，讓食材吸飽甜味！

材料 (2人份)

白菜……1/8 顆／豬五花肉……130g／白高湯……30g／水……50g
鹽……適量

作法

1 將白菜葉與豬五花肉一片一片重複交疊。

2 把步驟 **1** 切成約 3 等分。

3 將步驟 **2** 放入煮飯神器中，倒入白高湯、水，
　 最後再撒上鹽巴。

4 以中火燉煮 15 分鐘左右就完成了。

　 ℗OINT 使用內層的白菜葉，就不用擔心太快煮爛。

□炊 ☑燉、煮 □蒸 □炒、煎 □燻

油封鮮菇

令人開胃的馥郁蒜香，也是極品下酒菜

材料（2 人份）

蒜頭……2 片／橄欖油……130ml ／鯷魚……4 片／義大利歐芹……少許
喜愛的菇類（放得進煮飯神器的種類）／粗粒黑胡椒……少許

作法

1　蒜頭剝皮後用菜刀壓碎。

2　於煮飯神器放入步驟 1、橄欖油和鯷魚，並以小火加熱。

3　弄碎鯷魚，待飄出蒜香後加入菇類，接著輕輕拌炒約 4 分鐘左右。

4　撒上粗粒黑胡椒與義大利歐芹。

5　可依喜好擠入檸檬汁一同享用。

Ｐoint 食材切大塊一點比較容易食用。

綜合糖煮水果

清爽的水果甜點，能在飯後一下子轉換心情

材料 (2 人份)

橘子……1 顆／奇異果……1 顆／檸檬……1/2 顆
A｜白酒……100ml ／蜂蜜……1 大匙／迷迭香……1 枝

作法

1　橘子、奇異果去皮後，切成 1cm 寬的圓片狀。檸檬則直接切片。

2　於煮飯神器內放入步驟 **1** 與材料 **A**，並以中火加熱，沸騰後轉小火再煮 5 分鐘。

　　POINT 用冰塊冰鎮會更入味。

□炊　☑燉、煮　□蒸　□炒、煎　□燻

25 MIN

啤酒滷雞翅

嗜酒者愛不釋手的經典下酒菜

材料（2 人份）

　雞翅……15 隻／砂糖……1 大匙／粗粒黑胡椒……少許／鹽……少許
　啤酒……200ml ／蒜末……1/2 小匙／醬油……1 大匙與 1 小匙

作法

1　將所有食材放入戶外煮飯神器。

2　開中火加熱拌炒。待沸騰後撈除浮沫，接著以偏弱的中火燉煮至收汁。

3　最後再次撒上粗粒黑胡椒。

　POINT　也可以加入水煮鵪鶉蛋一起滷。

和風油封
吻仔魚綠花椰

將經典的油封料理變化成日式風味

材料（2 人份）

蒜頭……1 瓣／橄欖油……150ml ／吻仔魚……30g ／鯷魚……半片
魔法香料鹽……適量／綠花椰……1/2 株／柚子胡椒……適量

作法

1　將蒜頭、鯷魚切碎。

2　綠花椰切塊後用鹽水燙熟。

3　在煮飯神器內倒入橄欖油，放入步驟 **1**、魔法香料鹽、柚子胡椒。

4　待油熱且調味料也已混合入味後，再放入步驟 **2**。

5　最後放入吻仔魚後就完成了。

　　POINT　請待橄欖油充分加熱後，再放入食材。

無花果柑橘熱白酒

充滿柑橘果香的甜點
很適合暖洋洋的下午茶時光

材料 (2 人份)

半乾無花果……8 顆／橘子……1 顆／檸檬片……1 片／肉桂……1 根
白酒……150ml ／砂糖……1 大匙／蜂蜜……適量

作法

1 把所有材料都放入煮飯神器內，並倒入 100ml（額外）的水後，
以中火加熱。

2 待沸騰後轉小火，蓋上蓋子並稍微留點縫隙，接著燉煮 30 分鐘
後即可。

POINT 可將法國麵包切成薄片、抹上奶油乳酪一同享用。

20 MIN ☐炊 ☑燉、煮 ☐蒸 ☐炒、煎 ☐燻

時蔬高湯凍

繽紛蔬菜搭配彈牙果凍
一道亮眼的前菜就完成了！

材料（2 人份）

綜合豆類……130g ／甜椒（紅、黃）……總量共 1/3 顆
萵苣……2 片／秋葵……2 根／粗粒黑胡椒……適量
開水……250ml ／迷你番茄……7 顆
A │ 起司…30g ／豬肉香腸……30g
B │ 迷你紅蘿蔔……4 根／櫻桃蘿蔔……2 顆
C │ 固體高湯塊……1 塊（5.3g）／吉利丁粉……5g

作法

1 將材料 A 切成與豆類相同的大小，材料 B 切成 2mm 寬，甜椒則
切成 5mm 的細絲（預留一些甜椒）。

2 用沸水（額外）汆燙萵苣後撈出放置冷卻。用同一鍋沸水將秋葵
煮熟後，切成 5mm 寬的圓片。

3 在碗內放入步驟 1 與秋葵、黑胡椒後混合均勻。

4 將材料 C 融進開水中，製作高湯凍液。

5 在煮飯神器鋪上萵苣，並放入豆類並鋪平，接著以相同的方法放
入步驟 3，最後排入迷你番茄和預留的甜椒。

6 輕輕倒入步驟 4，直到淹到迷你番茄的一半左右。闔上蓋子並放
入冰箱中，待凝固後就完成了。

Ⓟoint 蔬菜要均勻排列整齊，這樣切開才能看到漂亮的截面。

燉煮篇

本篇將介紹配飯或配麵包都很適合的燉煮料理，還有超多簡單的烹飪訣竅任您參考！

@kimuco_kitchen

🍴 培根蛋義大利湯麵

以奶油與蒜頭煸炒配料後，放入剩下的食材燉煮而成的料理。收尾時可撒上黑胡椒，品味更具層次的經典風味。濃稠的奶油白醬義大利麵較不容易冷卻，可以熱呼呼享用！還能加入菇類等食材，讓風味與甜味更升級。

🍴 簡易蕎麥涼麵

將蕎麥麵用滾水煮熟後簡單製作成涼麵。比指定時間多煮 30 秒，蕎麥麵的口感會更滑順。撒上海苔再搭配清爽的山葵，就是一道人間美味。麵汁可裝進方便攜帶的密封袋，上班帶便當也不成問題。

@beparou

@ryuto2003

🍴 辣豆醬

用水煮番茄罐頭與綜合豆類就能簡單完成的料理，若再講究點，使用月桂葉與辣粉等香辛料，瞬間就能煮出異國風味。不僅適合搭配飯類與麵包，和義大利麵也對味。外觀繽紛亮眼，也很適合作為款待客人的餐點。

@ryuto2003

🍴 甜味十足的高麗菜培根義大利麵

超方便的短時間料理，只要把義大利麵跟配料丟進去就大功告成。春季高麗菜的口感軟嫩而鮮甜，非常適合作為清炒義大利麵的材料。也可以加入牛奶煮成白醬，或加番茄煮成紅醬，隨興自由變化！

🍴 明太子烏龍麵佐溫泉蛋

將冷凍讚岐烏龍麵煮熟後瀝乾，接著拌入明太子口味的義大利麵調理包，就能完成這道超簡單的料理。也可依喜好加入溫泉蛋與柚子胡椒等調味料，盡情品味各種風味變化。

@kouji.kudou.148

🍴 香菇親子蓋飯

於炒過的配料淋上蛋汁後就能上桌。配料先用麻油炒過後再燉煮比較不會煮爛，還能煮出濃郁風味。配料要煮到變成褐色為止，使其充分入味。調味則建議使用麵味露，這樣絕不會失敗！

@y.m.d5.5

🍴 牛奶鮮蔬義大利麵

清炒蔬菜後，加入牛奶與高湯燉煮約10分鐘。撒上起司粉、黑胡椒、歐芹後，就是一道色香味俱全的料理。建議應大量使用奶油，這樣就算沒有鮮奶油，也能煮出濃醇風味。

@x_xx_yurucamp_xx_x

🍴 香菇培根和風義大利麵

將折半的義大利麵與配料一同燉煮，輕鬆完成一道義大利風味料理。一起燉煮時，義大利麵能充分吸收香菇與培根的鮮味，吃起來風味十足。最後再淋上醬油，讓味道更富有層次感。

@ryuto2003

@noguts1960

🍴 蕎麥麵店風味咖哩豬肉豆腐煲

拌炒豬五花肉與洋蔥後，用麵味露燉煮。加入咖哩粉和太白粉煮出勾芡，最後再放入豆腐就完成了。建議選用鰹魚高湯的麵味露，煮出蕎麥麵店的風味。板豆腐加熱到中心微涼的程度即可，以便享受食材原本的美味。

🍴 沙丁魚漿火鍋

用冰箱剩下的蔬菜完成的一道鍋物料理。製作沙丁魚肉泥時，可以用食物調理機打碎比較輕鬆。魚漿鍋物料理不但健康又有飽足感，除了能讓人飽餐一頓外，也很適合用來暖身或搭配美酒一起享用！

@gupikozu

第 3 章

蒸

許多煮飯神器使用者都知道

煮飯神器很適合用來蒸煮料理，

經典菜色包括肉包、燒賣等簡易小點。

運用高導熱率的煮飯神器

蒸煮出的食物驚人地好吃。

櫛瓜鑲肉

以白酒調味，
做出爽口的夏季蔬菜料理

材料（2 人份）

櫛瓜……1 條／蘑菇……6 顆／豬絞肉……80g ／橄欖油……1 大匙
迷你番茄……6 顆／白酒……2 大匙／百里香……適量
A │ 鹽……1/3 小匙／黑胡椒……1/3 小匙／蒜末……少許

作法

1　櫛瓜對切後，用湯匙挖掉內部。

2　把櫛瓜掏出的部分切碎，蘑菇則立著對切。

3　於豬絞肉加入切碎的櫛瓜肉與材料 A，混合攪拌直到出現黏稠感
　　後，鑲進挖空的櫛瓜內。

4　在煮飯神器內均勻倒入橄欖油，放入步驟 3、蘑菇、迷你番茄、
　　百里香與白酒後，蓋上蓋子以中火加熱 5 ～ 8 分鐘。

　　🅟oint 加熱時需稍微晃動煮飯神器，以免櫛瓜燒焦。

□炊 □燉、煮 ☑蒸 □炒、煎 □燻

咖啡蒸糕

小巧可愛的大人口味甜點

材料（2 人份）

A | 低筋麵粉……55g／發粉……1/2 小匙
  | 水……50ml／蜂蜜……1/2 小匙／即溶咖啡……1 小匙

B | 米油（菜籽油也可）……1 小匙少一點／砂糖……1 大匙又 1/2
  | 肉桂粉……少許／鹽……少許

作法

1　於碗中放入材料 A，並用攪拌器粗略混合。

2　將預先混合好的材料 B 加入步驟 **1** 中，並從底部翻攪混合。

3　於煮飯神器加入 1cm 高的水（額外），接著放入蒸架，並將水加熱至沸騰。

4　在布丁模具內放入杯子蛋糕紙模，倒入步驟 **2** 後擺上蒸架。稍微移開蓋子，以大火加熱 4 分鐘後，再用小火加熱 4 分鐘左右。用竹籤刺下去沒有麵糊黏稠感時就大功告成。

> **P**OINT 在步驟 **2** 攪拌所有材料時，只需翻攪即可，如果混得太均勻，糕體會較難膨起。

 □炊 □燉、煮 ☑蒸 □炒、煎 □燻

古斯米沙拉

能吃到粒粒分明的口感，飽足感滿分的沙拉料理

材料（2 人份）

古斯米……1/2 杯／小番茄……1/2 顆／櫛瓜……1/3 根

A │ 橄欖油……1 小匙／蒜末……1/3 小匙／鹽……少許

B │ 碎橄欖……1 小匙多一點／碎薄荷葉……2 小匙／橄欖油……1 大匙
  │ 碎義大利歐芹……2 小匙／檸檬汁……1 大匙／孜然粉……少許
  │ 鹽……少許

作法

1　於煮飯神器中倒入 100ml 的水（額外），加入材料 A 並加熱混合。

2　待步驟 1 沸騰後熄火，加入古斯米均勻混合後，蓋上蓋子並裹上布料悶蒸 7 分鐘。

3　番茄、櫛瓜切成 5mm 的丁狀。

4　將步驟 3 與材料 B、步驟 2 混合後，靜置 20 分鐘使其入味（隔夜更好吃）。

Ⓟoint 不要忘記蒸煮的步驟，古斯米要確實蒸軟！

□炊 □燉、煮 ☑蒸 □炒、煎 □燻

紅酒蒸蘋果

品味紅酒、肉桂與萊姆酒的馥郁芬芳
一道大人風味的蘋果甜點

材料（2人份）

蘋果（小顆）……2 顆／萊姆酒……1 小匙／麥片……2 小匙

A │ 檸檬汁……1 小匙／紅酒……160ml

B │ 李子乾……2 顆／肉桂……2 根

作法

1　蘋果對切並挖除內部的果肉。

2　於煮飯神器內加入材料 A、步驟 1 的果肉，熬煮後暫時取出。

3　鋪上蒸架，將材料 B 以及步驟 2 的果肉放入步驟 1 的下半部內，
　　然後蓋上步驟 1 的上半部。

4　蓋上蓋子以中火蒸煮 1 分鐘後，轉小火再蒸煮 6 分鐘後離火。用
　　布包裹靜置約 2 分鐘。開蓋淋上萊姆酒後再放置 2 分鐘，最後撒
　　上麥片就完成了。

POINT　蘋果果肉只需大致挖除即可。

美味馬鈴薯沙拉

分量十足的鬆軟馬鈴薯沙拉
大塊的食材吃起來超美味！

材料 (2 人份)

　馬鈴薯⋯⋯2 顆／碎培根⋯⋯35g ／法式沙拉醬⋯⋯適量
　半熟蛋⋯⋯1 顆／碎歐芹⋯⋯適量

作法

1　洗淨馬鈴薯，帶皮切成 6 等分。

2　在煮飯神器內放入步驟 1 與培根，並注入 1cm 高的水（額外），
　　蓋上蓋子稍微以中火加熱。

3　等到聽到冒泡聲後熄火，並開蓋確認馬鈴薯的硬度（如果還很硬
　　的話，請加入少許的水再次加熱）。

4　將馬鈴薯稍微弄碎後，淋上法式沙拉醬並混合攪拌。加入弄碎的
　　蛋，最後再撒上歐芹。

　　Ｐoint 馬鈴薯建議可連皮一起料理。

20
MIN
☐炊 ☐燉、煮 ☑蒸 ☐炒、煎 ☐燻

野菜溫沙拉

鹽麴是帶出蔬菜甜味的祕訣

材料（2 人份）

綠花椰……6 株／圓片櫛瓜……6 片／小番茄……6 顆／迷迭香……1 枝

A │ 橄欖油……2 大匙／鹽……1 大匙／胡椒……少許

作法

1　櫛瓜切片、綠花椰縱切成 2 等分。

2　把材料 A 放入夾鏈袋中混合後，再加入步驟 1 與小番茄一同混合。

3　於煮飯神器放入步驟 2，撒上迷迭香後，蓋上蓋子以小火加熱。

4　約 10 分鐘左右後熄火，以餘熱再悶個 5 分鐘。

　　POINT 蔬菜只需過個火即可，加熱時間過長會變得太爛。

□ 炊　□ 燉、煮　☑ 蒸　□ 炒、煎　□ 燻

溫泉蛋拌麵

半熟蛋與肉味噌的甜味是絕佳拍檔！

材料 (2 人份)

麻油……1 大匙／豬絞肉……100g ／中華蒸麵……1 袋

酒………30ml ／豆芽菜……1/4 袋

A │ 蒜頭……1/2 小匙／生薑……1 小匙

B │ 甜麵醬……1 大匙／辣油……2 小匙／醬油……1 小匙

C │ 溫泉蛋……1 顆／蔥、花生、辣椒絲……適量

作法

1. 將材料 A 切成粗泥，蔥切成蔥花，並搗碎花生。

2. 於煮飯神器內加入麻油與材料 A 後，開火加熱。隨後加入絞肉、材料 B 拌炒後，先盛到別的盤子備用。

3. 於煮飯神器放入鬆散過的麵條並倒入酒，蓋上蓋子以小火蒸煮 1 分鐘左右。加入豆芽菜後，再以小火蒸煮 1 分鐘，接著整個拌勻後離火。

4. 盛上步驟 2、材料 C 後就完成了。

　Ｐoint 麵條稍微蒸煮即可，吃起來會比較有勁道。

異國風蒸海鮮

令人上癮的異國風調味！
一道活色生香的蒸沙拉

材料（2 人份）

鮮蝦……8 尾／紫洋蔥……1/4 顆／芹菜……1/4 根／蒜頭……1 瓣
花蛤……15 顆／香菜……適量／萊姆……適量

A │ 橄欖油……1 大匙／泰國魚露……2 大匙

作法

1　蝦子剝殼去除沙筋。紫洋蔥切瓣，芹菜與蒜頭則切成薄片。

2　於煮飯神器內放入花蛤，淋上材料 A 後蓋上蓋子，以中火加熱
　　5 ～ 8 分鐘。

3　最後依喜好佐以香菜、萊姆調味。

　　Ｐoint 使用已去鹽的花蛤，可以縮短料理的時間。

檸檬迷迭香雞肉

很適合夏日消暑的
清爽肉類料理

材料（2 人份）

雞腿肉……1 片／蓮藕……6cm ／檸檬……1/2 顆

A　蒜頭……1 瓣／鹽…1/2 小匙／黑胡椒……適量
　　橄欖油……1 大匙／白酒……1 大匙／迷迭香……1 枝

作法

1　雞腿肉切成容易食用的大小。蓮藕切成 1cm 寬，並將檸檬切片。

2　將雞腿肉與材料 A 放入夾鏈袋中搓揉入味。

3　於煮飯神器放入步驟 1 與步驟 2，蓋上蓋子用大火加熱 3 分鐘後，
　　再以小火加熱 5 分鐘。

　　Ｐoint　應以小火慢慢加熱，以免肉質變硬。

□炊 □燉、煮 ☑蒸 □炒、煎 □燻

白酒蒸花蛤蠶豆

充滿酒香與鹹味的極品下酒菜

材料（2人份）

白酒…120ml ／香料鹽……適量／百里香……適量／乾燥歐芹……適量

A
蠶豆……15 ～ 20 顆左右／檸檬……1/4 顆
去鹽花蛤……250 ～ 300g

作法

1 劃開蠶豆。檸檬切片後，再切成四等分。

2 於煮飯神器倒入白酒後，放上蒸架。放入材料 A 攪拌均勻，撒上香料鹽與百里香後，蓋上蓋子開始加熱。

3 等花蛤都打開後，撒上歐芹就完成了。

第4章
煎、炒

煮飯神器也能做到基本的「煎、炒」，

但由於神器表面沒有加工處理，

容易燒焦是它美中不足的地方。

不過只要掌握訣竅，

多用點油、控制火候並緊盯烹煮過程就能避免。

簡易法式吐司

用冰淇淋代替蛋汁！
甜味充分入味的人氣甜點

材料（2 人份）

法國麵包……3 塊／市售香草冰淇淋……1 個／奶油……1 片／
楓糖……適量／草莓（或其他喜歡的水果）……適量

作法

1 法國麵包切成煮飯神器的高度，用筷子輕戳切面，並浸入解凍的
冰淇淋中（中途要翻面）。

2 於煮飯神器內放入奶油，以小火加熱到聽見輕微爆烈聲後，放上
步驟 **1**。

3 待麵包出現焦色後，用夾子等工具翻面，並繼續用超小火再煎個
1～2 分鐘。

4 淋上楓糖，擺上切塊的水果。

POINT 這道料理很容易燒焦，請務必小心注意火候。

15 MIN □炊 □燉、煮 □蒸 ☑炒、煎 □燻

德式煎馬鈴薯

馬鈴薯和培根豪爽切塊
做出全家大小都愛吃的美味鹹點

材料 (2 人份)

馬鈴薯（已水煮）……3 顆／洋蔥……1/2 顆／厚切培根……50g
橄欖油……適量／鹽……適量／黑胡椒……適量

作法

1　馬鈴薯切成大塊，洋蔥切片，厚切培根則切成 1cm 寬。

2　於煮飯神器內淋滿橄欖油後，以中火清炒洋蔥。

3　等洋蔥變軟後，依序加入培根、馬鈴薯，接著撒入鹽、黑胡椒，
　　最後炒到出現焦色為止。

 **P**OINT 請充分拌炒，以免食材燒焦。

炙燒牛肉

肉汁飽滿令人垂涎欲滴的
整塊烤牛肉！

材料 (2 人份)

牛腿肉（切塊）……600 ～ 700g ／無花果……2 顆／橄欖油……2 大匙

A｜鹽……2 小匙／胡椒……1 大匙／大蒜粉……1 大匙

B｜百里香等香草……適量／粉紅胡椒……適量

作法

1 把材料 A 塗抹在整塊肉上。無花果則切成 4 等分。

2 於煮飯神器倒入橄欖油後開火，等油充分加熱後，放入肉塊。用中火～強火將煮飯神器的整個表面燒烤約 1 分鐘左右後，再用小火對整個表面燒烤約 1 分鐘左右。

3 離火後把無花果放進煮飯神器內。關蓋、包上布料並靜置 15 ～ 20 分鐘。最後撒上佐料 B 後就完成了。

Ⓟoint 煮飯神器表面要完整加熱，讓肉只有外層烤出焦色。

☐炊 ☐燉、煮 ☐蒸 ☑炒、煎 ☐燻

香蒜橄欖油蛤蠣義大利麵

蒜香醬汁讓人食指大動的
簡單美味義大利麵

材料（2 人份）

鰻魚……半片／蒜頭……1 瓣／珠蔥……適量／橄欖油……適量
花蛤……10 顆／白酒……50ml ／水……50ml ／鹽……適量
義大利麵（筆管麵）……120g

作法

1　鰻魚、蒜頭切碎，珠蔥切成蔥花。

2　於煮飯神器倒入橄欖油後，放入鰻魚、蒜頭炒出香味。

3　加入花蛤、白酒和水，並加熱至沸騰後加鹽調味。

4　於煮飯神器倒入 600ml（額外）的水、20g 的鹽（額外）後加熱
　　至沸騰。

5　放入筆管麵並煮 13 分鐘，煮的同時要持續攪拌。

6　麵煮熟後瀝掉熱水，接著在煮飯神器中與步驟 3 混合，最後撒上
　　蔥花就完成了。

ＰOINT　為了讓筆管麵熟透，加熱的同時請充分攪拌。

香辣茄汁油漬沙丁魚義大利麵

讓人超滿足的濃郁醬汁！
鯷魚的鹹味是獨家提味

材料（2 人份）

鯷魚……半片／蒜頭………1 瓣／珠蔥……適量／美姬菇……1/8 株
橄欖油……適量／黑橄欖……適量／油漬沙丁魚……1 罐
番茄罐頭……100g ／鹽……適量／義大利麵（筆管麵）……120g

作法

1　鯷魚、蒜頭切碎，珠蔥切成蔥花，並預先剝除美姬菇的根部。

2　倒入適量的橄欖油，放入鯷魚、蒜頭、美姬菇、黑橄欖後，炒到出現香氣。

3　於步驟 **2** 加入油漬沙丁魚並輕輕拌炒。

4　倒入番茄罐頭，煮至沸騰後加鹽調味。

5　義大利麵煮好後，淋上步驟 **4**，再撒上蔥花就能上桌。

🅟oint 油漬沙丁魚要慢慢拌炒，以免魚肉碎爛。

油豆腐鑲泡菜豬肉

剛好可以塞滿煮飯神器！
可以手抓輕鬆享用的方便料理

材料（2 人份）

油豆腐……2 塊／泡菜……80g ／蔥（綠色部分）……20g
豌豆……8 條／麻油……1 大匙／豬碎肉……100g
韓國牛肉粉 DASIDA……2 小匙／醬油……1 小匙
起司……15g ／芝麻……適量

作法

1　油豆腐對半切後，於中間劃出縫隙。泡菜切碎，蔥切成蔥花，豌豆則預先去絲。

2　於煮飯神器倒入麻油後，開火拌炒豬肉。接著加入泡菜、蔥花、韓國牛肉粉繼續拌炒。最後淋上醬油，加入起司與芝麻，完成餡料用的泡菜炒豬肉。

3　把步驟 2 鑲入油豆腐後擺進煮飯神器中，縫隙則塞入豌豆並蓋上蓋子。

4　以小火蒸烤 3 ～ 5 分鐘左右就完成了。

　　🅟OINT 劃開油豆腐時要小心不要切到底。

肉醬蔬菜鹹派

適合參加自備料理派對的
熱騰騰美味派皮料理

材料（2 人份）

綠花椰……4 小株／茄子……1 條／櫛瓜……1/3 條／洋蔥……1/2 顆
蘑菇……2 顆／鹽漬番茄乾……4 顆／橄欖油……1 大匙
香料鹽……1/2 小匙／即食肉醬……130 ～ 150g ／冷凍派皮……2 片
蛋液……適量／義大利歐芹……適量

作法

1　綠花椰對半切，茄子、櫛瓜切成 1.5cm 的圓片，洋蔥則切絲。蘑菇切成 4 片，鹽漬番茄則切成 4 等分。

2　在煮飯神器倒入橄欖油後開火，放入步驟 **1** 並撒上香料鹽。

3　加入即食肉醬，以小火拌炒均勻後取出備用。

4　在乾淨煮飯神器內鋪上派皮後拆掉把手。將派皮延展鋪滿整個容器後，於多處戳出孔洞。

5　放入步驟 **3** 後，讓派皮像堤防般蓋住餡料，並用叉子按壓整形。抹上蛋液，用預熱 200℃的烤箱烘烤 10 分鐘。取出後擺上歐芹就完成了。

Ｐoint 蓋上派皮時要用叉子確實壓緊，讓派皮與煮飯神器之間沒有縫隙。

熱呼呼三明治

奶油香氣撲鼻、
熱呼呼的料多味美三明治

材料（2人份）

橄欖油……1 大匙／蘆筍……1 根／法國麵包……13 ～ 14cm
美乃滋……適量／黃芥末……適量／萵苣……3 片／水煮蝦仁……2 隻
莓果果醬……適量／火腿切片……1 片／甜椒（紅、黃）……各 1 片
奶油……1 大匙

A │ 雞蛋……1 顆／起司……1 大匙／香料鹽……適量

作法

1 在煮飯神器的蓋子上倒入橄欖油，丟入切成 4 等分的蘆筍，開火
　拌炒後取出備用。

2 繼續使用步驟 1 的蓋子，倒入橄欖油後，用材料 A 製作歐姆蛋。

3 法國麵包切成 3 等分，並分別劃出 8 成深的切口後，在內部抹上
　美乃滋以及黃芥末。

4 一個麵包夾入萵苣、步驟 1 與水煮蝦仁；另一個則夾入萵苣與步
　驟 2。

5 剩下最後一個抹上果醬後，夾入萵苣、火腿、切塊甜椒。

6 於煮飯神器抹上奶油，擺入法國麵包後，蓋上蓋子以小火烘烤
　2 ～ 3 分鐘。

🅟ᴏɪɴᴛ 加熱時底部要稍微偏離火源，以免法國麵包燒焦。

□ 炊　□ 燉、煮　□ 蒸　☑ 炒、煎　□ 燻

香料胡蘿蔔蛋糕

香辛料醞釀出屬於大人的口味
口感綿密又扎實的健康甜品

材料（2 人份）

無糖優格……100g ／棉花糖……3 顆／胡桃……3 大匙
葡萄乾……4 大匙／紅蘿蔔……1 根／檸檬皮……1/4 顆份
低筋麵粉……100g ／發粉……2 小匙／萊姆酒……1 大匙

A
肉桂（粉末）……3/4 小匙／小豆蔻（粉末）……1/2 小匙
肉豆蔻（粉末）……1/4 小匙／多香果（粉末）……1/4 小匙
丁香（粉末）……1/4 小匙

B　雞蛋……1 顆／砂糖……40g ／椰子油……50ml

C　杏仁（已磨碎）……2 粒／各種水果乾……2 大匙／薄荷……適量

作法

1　將剝碎的棉花糖加入無糖優格中，然後放進冰箱冷藏半天。

2　胡桃、葡萄乾切成大塊，紅蘿蔔與檸檬則去皮後磨成泥。

3　混合低筋麵粉、發粉、材料 A 並過篩。

4　於碗中依序放入材料 B、步驟 3、步驟 2，每次下料時都要攪拌。

5　在煮飯神器內鋪上烘焙紙，倒入步驟 4 後卸除手把，接著放入預熱 170℃的烤箱中烘烤 15 分鐘。

6　將煮飯神器翻轉 180 度後，蓋上鋁箔紙繼續烘烤 10 分鐘。

7　在蛋糕表面塗上萊姆酒，蓋上蓋子並送入冰箱中冷卻。最後放上步驟 1 與材料 C 就完成了。

Ⓟoint　放入冰箱充分冷卻，口感會更扎實。

蓬鬆口感大阪燒

利用蓋子便能煎出漂亮的形狀！
一道口感讓人欲罷不能的美味佳餚

材料 (2 人份)

章魚……35g ／沙拉油……適量／鵪鶉蛋……2 顆

A | 高麗菜……100g ／青蔥……20g ／紅生薑……1 大匙

B | 大阪燒粉……75g ／雞蛋……1 顆／鰹魚高湯粒……3g
  | 昆布高湯粒……3g ／起司……20g ／青海苔粉………1 小匙

C | 大阪燒醬料……適量／美乃滋……適量／柴魚片……適量
  | 蝦米……適量／紫蘇葉……1 片

作法

1　材料 A 切碎，章魚切成 1cm 的塊狀。

2　將步驟 1 與材料 B 放入碗中混合。

3　於煮飯神器內鋪滿烘焙紙後，倒入步驟 2，接著關上蓋子以小火烘烤 5 分鐘。

4　開蓋並於蓋子內側抹上沙拉油後，將步驟 3 倒放到蓋上，繼續用小火烘烤 5 ～ 7 分鐘。

5　將煮飯神器內部翻回步驟 4 的狀態後繼續加熱。於蓋子內側補充沙拉油，製作鵪鶉蛋煎蛋。

6　用竹籤確認步驟 4 的狀態後離火，最後佐上材料 C 後就完成了。

🅿ᴏɪɴᴛ 蔬菜要仔細切碎，煎出的口感才會鬆軟。

香辣番茄起司鑲肉

頂部撒滿濃郁的起司
外觀時尚的番茄盅料理

材料（2人份）

番茄（能放進煮飯神器的大小）……2顆／市售肉丸……8顆
水煮紅腰豆……適量／辣粉……適量／鹽……適量／披薩起司……適量
起司粉……適量

作法

1　在番茄頂部約5mm處橫切後，掏空內部。

2　輕輕壓碎的肉丸、紅腰豆塞入步驟 **1**，並撒上起司粉、鹽、披薩起司。

3　在煮飯神器內放上蒸架後，擺上步驟 **2** 並蓋上番茄頂部，接著以小火加熱15分鐘左右。

4　稍微掀開番茄頂部並撒上辣粉。

🅿oint　挖除番茄內部前，先用刀子劃出格子狀較容易維持形狀。

煎炒篇

本篇將介紹幾道輕鬆的煎炒料理，讓您能更盡情享受戶外活動。一起來看看有哪些美味祕訣，發掘讓您想要嘗試的料理吧！

@beparou

🍴 充滿鮮甜海鮮的簡易西班牙燉飯

拌炒切碎的蔬菜與綜合海鮮後，再加入米飯炒熱後就能上桌。這道菜美味的祕訣是要徹底蒸散水分。料理時不要蓋住煮飯神器的蓋子，並加熱至底部微焦為止。建議不要使用高湯，以凸顯出海鮮原本的鮮甜風味。

🍴 香氣四溢的山椒炒烏龍麵

拌炒豬肉與蔬菜後，加入烏龍麵與調味料並炒到收汁即可。也可依喜好撒上柴魚片、青海苔或紅生薑等增添繽紛點綴，還可撒上山椒能讓風味更有層次，芬芳的香氣令人垂涎三尺。建議選用冷凍烏龍麵，攜帶時能把它當成外出保冷劑使用。

@x_xx_yurucamp_xx_x

🍴 木須炒飯

由豬五花肉、黑木耳、雞蛋清炒而成的美味中華料理。炒蛋時應輕輕拌炒，留住雞蛋鬆軟的口感。另外也建議搭配超下飯的甜辣調味一同享用，喜歡黑木耳的人絕對無法抗拒這道美食。

@noguts1960

@kimuco_kitchen

🍴 使用泡水義大利麵節省料理時間

用油漬沙丁魚罐頭簡單製作的橄欖油香蒜義麵。可搭配小番茄、蔥花與海苔，完成繽紛的擺盤。使用泡水 3 ～ 4 小時的義大利麵能節省烹飪時間，並建議添加油封料理調理包能煮出更經典的味道。

🍴 簡單美味的德式煎馬鈴薯

把冷凍薯條、培根、洋蔥用奶油拌炒，加入鹽、胡椒調味後即可上桌。大量使用奶油不但能避免燒焦，還能更添風味。此外，洋蔥要切細比較容易熟，且推薦選擇新鮮洋蔥，這樣才能吃到水潤甘甜的口感！

@maripou25

第 5 章

燻

如前所述，煮飯神器是具有深度的容器，

而這個深度剛好也能用來製作燻製料理。

雖然無法一次燻製大量的食材，

不過剛好能完成一道下酒菜，

可為簡單的露營增添些許野炊風情。

□炊　□燉、煮　□炒、煎　□蒸　☑燻

美味煙燻鮪魚

搭配沙拉或製作成沾醬都是頂級美味！

材料（2 人份）

鮪魚罐頭（油漬）……1 罐

作法

1　將鮪魚倒在烘焙紙上，放置 30 分鐘去除水分。

2　在煮飯神器內鋪上鋁箔紙，放上燻製木片並擺入蒸架。用鋁箔製作盤子後，均勻鋪上步驟 1。關蓋以小火燻製 20 分鐘就完成了。

Ⓟoint 擺在沙拉上，加入美乃滋就是一道極品前菜！

☐ 炊　☐ 燉、煮　☐ 炒、煎　☐ 蒸　☑ 燻

煙燻魷魚絲

美酒良伴！
嚼勁十足的下酒菜

材料（2 人份）

魷魚圈（已水煮）……1 包

A │ 水……100ml ／日本酒……100ml ／鹽……4 小匙
　 │ 砂糖……2 小匙／醋……1 小匙／胡椒、生薑……少許

作法

1　將魷魚擺在烘焙紙上，放置 30 分鐘去除水分。

2　在煮飯神器內鋪上鋁箔紙，放上燻製木片後，
　　在蒸架上擺上魷魚。關蓋以小火燻製 20 分鐘
　　就完成了。

🅟oint 可預先將食材浸泡鹽水，以便煙燻後能長期
　　　保存。

70 MIN □炊 □燉、煮 □炒、煎 □蒸 ☑燻

極品煙燻抱卵柳葉魚

從頭到尾都能吃！鹹香十足的美味酒餚

材料（2 人份）

抱卵柳葉魚……5 條／鹽……適量

作法

1 將柳葉魚擺在烘焙紙上，撒鹽並放置 30 分鐘後，翻面再靜置 30 分鐘以去除水分。

2 在煮飯神器內鋪上鋁箔紙，放上燻製木片並擺入蒸架。擺上步驟 1，關蓋以小火燻製 20 分鐘就完成了。

POINT 若不想吃太鹹也可以不灑鹽！

□炊 □燉、煮 □炒、煎 □蒸 ☑燻

風味十足煙燻豬肉

豪邁的豬五花料理
多汁的口感讓人齒頰留香！

材料（2人份）

豬五花肉塊⋯⋯600g ／香料鹽⋯⋯適量

作法

1　用叉子在肉塊的表面戳洞後刷滿香料鹽，接著放入保鮮盒並放進冰箱內過夜入味。

2　取出肉塊並擺在烘焙紙上徹底去除水分。

3　在煮飯神器內鋪上鋁箔紙，放上燻製木片後放入蒸架。擺上肉塊，關蓋以小火燻製 30 分鐘就完成了。

　　🅟ᴏɪɴᴛ　燻製後建議再冷卻 1 ～ 2 小時入味會更美味。

拓展煮飯神器的可能性！

—

Instagram 上的煮飯神器料理中，@mestinmania 的豐富性可謂是獨樹一幟，就讓我們來一窺他的餐桌吧！

⃝ @mestinmania 簡介

使用煮飯神器資歷已有三年半，靠煮飯神器養成了每週兩到三天自己煮的習慣。對各類戶外活動都很有興趣，露營、健行時都會用煮飯神器小試身手，尤其晚上小酌時的下酒菜都是別出心裁之作。每天都會更新 Instagram，向大眾介紹用煮飯神器料理的趣味與豐富的烹飪方式，宣傳煮飯神器的優異之處。

PICK UP
1

熱呼呼
超豪華的烤米棒鍋

這道菜的靈感來自我在朋友家吃過的烤米棒鍋，雞骨高湯簡直是人間美味。而這道菜的重點是一定要放水芹跟牛蒡，尤其水芹要連根一起放進去煮，爽脆的口感絕對讓你欲罷不能！

PICK UP
2

五彩繽紛！
馬賽克壽司

在替女兒慶祝雛祭時，我做了這道宴客菜。用洗乾淨的牛奶盒代替壽司模具，並配合容器大小將米飯離型。訣竅是要把醋飯塞滿整個煮飯神器，並將配料切成漂亮的格子狀。

清涼消暑的點心
滑嫩石花菜涼粉

在店裡吃到後，我想到在家應該也可以做做看，於是便出現了這道甜品。用煮飯神器熬煮石花後過篩，再把汁液倒回煮飯神器內冷卻即可，做法簡單卻能品嘗到正統的味道。

用酒精爐仔細烘烤
抹茶磅蛋糕

「偶爾做個甜點也不錯！」在妻子的建議下，誕生了煮飯神器版的磅蛋糕。將市售鬆餅粉加抹茶做成的麵糊倒入煮飯神器中，高度大約一半再多一點，接著仔細翻轉烘烤就完成了。

也能作為輔助工具
暖呼呼的爛酒器

在看到居酒屋把鍋具當成爛酒器時，我便想用煮飯神器試試。酒壺放進去後的高度剛好，在冬季節露營時絕對會需要。把店家端出的料理，轉換成煮飯神器料理幾乎已成了我的習慣。

@mestinmania 的
Q&A

Q 有什麼推薦的煮飯神器保養法嗎？

A 我認為最好的保養就是經常用它。我自己只有一個煮飯神器，至今已經用了 500 次以上都還堪用。不過要注意不要把煮飯神器放進洗碗機中，我看過不少因此變色損壞的例子。清潔時只需用手仔細清洗即可。

Q 有什麼初學者也能嘗試的料理？

A 初學者我會推薦炊飯料理。在煮飯神器內放入 180ml 的米搭配調味料，接著將水加至內側鉚釘一半的位置，最後再放入配料一起炊煮即可。使用固態燃料（25g）的話，火熄滅時飯也剛好就熟了。夏天可以製作吻仔魚飯，秋天則改做栗子飯等，一道炊飯能就變化出四季時令美味。

登山篇

由 Yamakei-Online 登山資訊網上的網友來介紹登山烹飪時的省時妙招，以及最適合在登山時製作的創意料理。

コマッディ

🍴 活用便利商店食材製作的簡易起司春川鐵板雞

用便利商店的雞肉沙拉與御手洗糰子，就能輕鬆變出一道起司春川鐵板雞。只需把材料通通丟進鍋內燉煮，最後放上起司後就完成了。丟入甜甜的御手洗糰子能煮出更正宗的味道。建議可從包裝袋的外側切割食材，之後收拾會比較快。

🍴 分量十足的塔可飯

在米飯上倒入瓶裝莎莎醬與墨西哥夾餅餡料後，塔可飯就完成了。搭配塔巴斯科辣椒醬能增添下飯的辛辣風味，依喜好加入墨西哥玉米片或多力多滋也超好吃！

わが太郎

🍴 暖呼呼茄汁鯖魚筆管麵

在煮熟的筆管麵上放入味噌燉鯖魚罐頭與番茄湯調理包攪拌而成的料理。加熱的番茄有暖身驅寒的效果，特別推薦在寒冷的時節享用。味噌與番茄的組合有些意外，但兩者其實很對味，請一定要嘗試看看。

Phoo

🍴 煙燻雞肉豆子飯

以蒜頭與珠蔥為基底，搭配「Grace 牙買加煙燻香料」製作香辣調味料後，用這個醬料先將食材醃製 2 天，料理當天只需簡單烘烤即可。由於醃漬過的食材能長期保存，非常適合帶去露營。

1966m

🍴 美味點心糖餅

簡單樸實的韓國點心。事先做好麵團與內餡，在山上就只需包餡跟烘烤，料理步驟簡便。內餡建議可添加肉桂粉或胡桃，增添風味與口感。製作時注意要用小火慢慢烘烤，以免燒焦。

Phoo

🍴 鹹豬肉檸檬鍋

在加入昆布茶的湯頭中，放入已撒鹽醃漬 2～3 天的豬肉以及其它配料，煮熟後再丟入檸檬片就完成了。鹹豬肉建議厚切，以便享受彈牙的嚼勁。用泡麵或米飯收尾時，豬肉釋出的鹽分可能會讓湯頭偏鹹，這時可加入熱湯等調整鹹度。

K@ORI

Phoo

🍴 熱騰騰焗烤薯條杯

把「Jagarico 薯條杯」丟進熱水中搗成泥狀，接著加入熟通心粉和鮪魚罐頭混合攪拌。從上方淋上奶油巧達濃湯，擺上起司，最後再以噴槍炙燒後就完成了。通心粉建議選用快煮型，奶油巧達也可用醬汁調理包製作，省時又便利。

🍴 超下飯的朴葉味噌燒！

朴葉味噌燒是日本飛驒的鄉土料理，推薦各位可購買整組販售的套裝。在泡過水的朴葉上擺放喜歡的牛肉或蔬菜，燻烤出香氣後即可享用。另外也建議可搭配青蔥與香菇等山菜，且這道菜與白飯也是絕配。登山時享用能提振精神，是一道能補充元氣的料理。

Phoo

🍴 5 分鐘就能上桌的簡易番茄燉雞肉

用番茄汁和玉米濃湯調理包製作濃湯，加入高麗菜絲和沙拉用雞肉燉煮。材料全都能在便利商店買齊！放上起司，撒上黑胡椒和歐芹後，還能搖身變成美味的紅酒下酒菜。

コマッティさん

🍴 山上的海鮮 XO 醬泡麵

水煮鹽味拉麵口味的泡麵，加入蟹肉棒和蝦米，熄火後再依喜好添加高湯粉與 XO 醬就完成了。多幾道手續凸顯風味，煮出有如真正海鮮拉麵般的味道。輕鬆升級普通的泡麵，在山間也能享受美食！

山めし礼讃さん

用煮飯神器帶便當！

煮飯神器不僅是烹調器具，也可以當作便當盒使用。本篇由編輯工作人員示範如何每天用煮飯神器享受帶便當的樂趣。

鹽烤鮭魚和風便當

料理時間：
約 20 分鐘

MENU
①鹽烤鮭魚、②金平牛蒡、
③高湯蛋捲、④涼拌菠菜、
⑤紫蘇、⑥白飯 & 黑芝麻

POINT
煮飯神器的鋁製質感結合和風佳餚，塑造出流行又樸實便當。煮飯神器不僅耐用也很有設計感，非常適合拿來當成便當盒。本便當的菜色能充分攝取食物纖維，健康美味。

薑汁燒肉 & 醃漬小番茄便當

料理時間：約 20 分鐘

MENU
①薑汁燒肉、②和風芝麻涼拌四季豆、
③和風醃漬小番茄、④水煮蛋、⑤皺葉萵苣、
⑥五穀飯

POINT
內含大量洋蔥的薑汁燒肉分量十足，配菜是口感清爽的醃泡小番茄，這道菜有拌入紫蘇提味。像這樣大分量的便當就很適合用具有深度的煮飯神器盛裝。

日式炸雞 & 抓飯便當

料理時間：約 25 分鐘

MENU

①日式炸雞、②三色豆抓飯、③蒸煮紫甘藍、
④櫻桃

POINT

內含沙拉或水果時，記得替煮飯神器擺上保
冷劑，並放入保冷袋中帶著走。這樣中午也
能吃到冰涼美味的便當，天氣熱時也不用擔
心食物壞掉。

炸蝦便當

料理時間：約 30 分鐘

MENU

①炸蝦、②南瓜與堅果的奶油乳酪沙拉、
③醃泡甜辣紫甘藍、④塔塔醬、⑤歐芹粉、
⑥白飯

POINT

形狀狹長的煮飯神器能放入長形食材，做出
具視覺衝擊的漂亮擺盤。另外也能輕鬆裝入
蘆筍肉捲或春捲，推薦給各位。

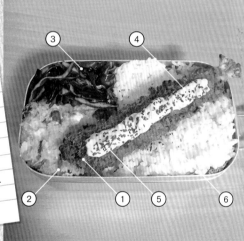

夏威夷漢堡排飯便當

料理時間：約 30 分鐘

MENU

①漢堡肉、②太陽蛋、③水煮綠花椰、
④小番茄、⑤皺葉萵苣、⑥白飯

POINT

煮飯神器具有足夠的深度，像是米飯或蓋飯
這類較有分量的便當也能輕鬆盛裝。本範例
還有用小番茄和綠花椰增添繽紛感。太陽蛋
可依喜好調整熟度。

雙色肉鬆便當

料理時間：約 15 分鐘

MENU
①肉鬆、②蛋鬆、③水煮扁豆、④白飯

POINT
鬆散而難以成形的肉鬆，可利用煮飯神器最堅硬的邊緣盛出高度齊平的平整表面。最後擺上綠色的扁豆，完成色彩豐富又美觀的便當。

塔可飯便當

料理時間：約 15 分鐘

MENU
①塔可飯配料、②起司、③小番茄、④酪梨、⑤皺葉萵苣、⑥白飯

POINT
前一天先把飯裝好放入冰箱，配料則留到當天早上做。煮飯神器的導熱率極佳，所以也很適合用來急速冷卻，夏天時也不怕便當菜餚變質。推薦可搭配大量的番茄和酪梨一同享用。

清爽的明太子義大利麵便當

料理時間：約 25 分鐘

MENU
①明太子義大利麵、②青椒吻仔魚炒山椒、③紅蘿蔔葡萄乾沙拉、④醃泡紫洋蔥、⑤櫻桃、⑥生菜、⑦海苔絲、⑧檸檬片

POINT
只需拌入明太子的簡單明太子義大利麵便當。可利用綠色和紫色蔬菜增添便當色彩。煮飯神器不但輕盈還擁有大容量，充足的空間足以裝下大食量者分量的便當菜。

日式炒麵便當

料理時間：約 15 分鐘

MENU

①甜椒日式炒麵、②太陽蛋、③紅生薑、
④皺葉萵苣

POINT

煮飯神器能用來製作日式炒麵，同時還能把蓋子當成平底鍋來煎蛋。建議在用煮飯神器炊飯時，可同時在蓋子上加熱咖哩調理包，節省烹飪的時間。

香腸和蘆筍的免捏飯糰 &
歐姆蛋免捏飯糰

料理時間：約 20 分鐘

MENU

①烤香腸、②水煮蘆筍、③紅蘿蔔絲、
④歐姆蛋、⑤皺葉萵苣、⑥白飯、
⑦番茄醬炒飯

POINT

注意飯糰切開時不要切錯方向，切出高度齊平的漂亮截面才能剛好放進正常大小的煮飯神器中。製作的訣竅是配合煮飯神器的寬度包捲食材並塑形。

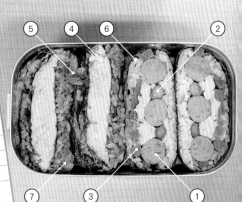

紅蘿蔔絲三明治

料理時間：約 20 分鐘

MENU

①紅蘿蔔絲、②紫洋蔥、③皺葉萵苣、
④起司、⑤水煮玉米、⑥水煮綠花椰、
⑦水煮紅蘿蔔

POINT

市售吐司切半剛好能放進加大版煮飯神器中，剛剛好的收納空間讓三明治不易變形。此外，良好的密封性也不必擔心麵包會乾掉。

便當篇

本篇將介紹喜歡利用煮飯神器帶便當的 Instagram 網友們，讓我們再次來領會煮飯神器的魅力吧！

@beparou

🍴 夏威夷漢堡排便當

我很喜歡煮飯神器樸實的設計，簡約至上！正常版的煮飯神器剛好符合上班用包包的底部與邊角，內容物不會四散變形，真的超好用。就算不是在山上享用，只要在桌上擺出煮飯神器用餐，就讓人有休息放鬆的感覺。

🍴 肉丸與叉燒的友好便當

無論何時何地都能炊煮出熱騰騰的米飯只要有煮飯神器，就算在戶外也能輕鬆煮出米飯，在野外想吃飯時，我一定會帶它出門。另外，我也很喜歡用煮飯神器收納 Esbit 酒精爐和燃料，輕鬆就能帶著走。

@y.m.d.5.5

@gupikozo

🍴 紅生薑高湯蛋捲便當

菜餚看起來比裝在女生分量的可愛便當裡還要更美味

煮飯神器是我第一個購買的戶外炊具。用法簡單，不僅能炊煮白飯，還能加入烤雞罐頭煮成炊飯！更可鋪上蒸架製作蒸煮料理，成品美觀又上鏡。煮飯神器不僅只是個煮飯盒，更是個功能優異炊具。

🍴 烤鮭魚 & 菠菜蛋捲便當

炊煮白飯並擺上配菜，美味便當就完成了！煮飯神器兼具炊具和便當盒的功能，只有一樣東西要清洗的方便性也是它的魅力所在。狹長的形狀恰好能收進包包內，猶如鋁製便當的復古外觀也令人愛不釋手。

@noguts1960

食譜、創意提供者

Sachi

自 2002 年開始擔任甜點師傅與甜點講師，之後也曾為廣告、雜誌設計食譜或擔任食物造型師，還有多本甜點相關食譜書籍著作，活躍於多個領域。近年來，也開始從事戶外活動。

寒川 Setsuko

除了在 TAKIBI cafe 等各類型工坊擔任料理廚師外，也有承接派對的外燴服務。結合「不想麻煩！」、「不想浪費！」、「想吃美食！」這三項理念，每天都在實驗開發新菜色。

Paerian

「戶外食譜」網頁的創建者。由千秋廣太郎以及前義大利料理主廚藤井堯志兩人組成的戶外料理團隊。曾參與早餐節、CHUMS CAMP、食品製造商特賣會等多項食品活動。憑藉在廣告公司的豐富經歷，能為客戶提供從戰略規劃、食品內容研發、資訊傳遞到活動餐飲的一站式服務。

木村 遥

曾擔任料理研究者與食物造型師助理，待過工作室，而後獨立成為一名食物造型師。目前主要活躍於書籍、雜誌、網路、廣告等領域。非常喜愛煮飯神器的實用性以及時尚的外觀，是位煮飯神器的愛用者。

其他創意點子的
協助與提供者 → *@mestinmania 等多名 Instagram 網友
*Yamakei-Online 登山資訊網的戶外達人
*FIG inc 編輯部（便當製作）

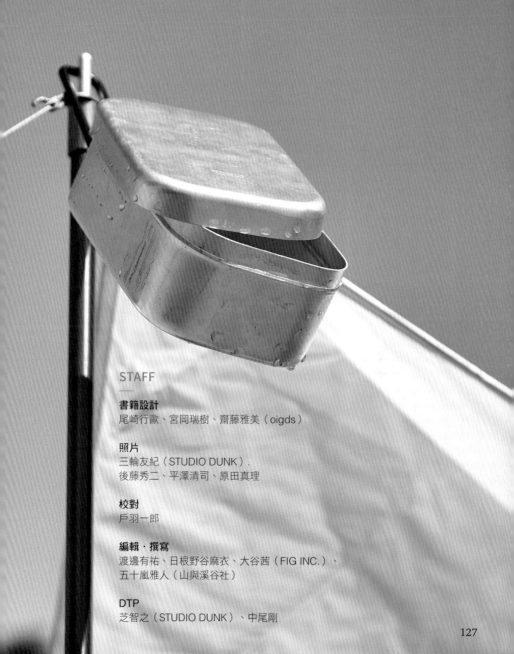

STAFF

書籍設計
尾崎行歐、宮岡瑞樹、齋藤雅美（oigds）

照片
三輪友紀（STUDIO DUNK）.
後藤秀二、平澤清司、原田真理

校對
戶羽一郎

編輯・撰寫
渡邊有祐、日根野谷麻衣、大谷茜（FIG INC.）、
五十嵐雅人（山與溪谷社）

DTP
芝智之（STUDIO DUNK）、中尾剛

生活樹 生活樹系列 094

Mess Tin 煮飯神器露營料理
メスティンレシピ

作　　　者	戶外煮飯神器愛好會
譯　　　者	洪薇
封 面 設 計	張天薪
版 型 設 計	theBAND・變設計－ Ada
內 文 排 版	許貴華
責 任 編 輯	謝宥融
行 銷 企 劃	黃安汝
出版一部總編輯	紀欣怡

出　版　者	采實文化事業股份有限公司
業 務 發 行	張世明・林踏欣・林坤蓉・王貞玉
國 際 版 權	王俐雯・林冠妤
印 務 採 購	曾玉霞
會 計 行 政	王雅蕙・李韶婉・簡佩鈺
法 律 顧 問	第一國際法律事務所　余淑杏律師
電 子 信 箱	acme@acmebook.com.tw
采 實 官 網	www.acmebook.com.tw
采 實 臉 書	www.facebook.com/acmebook01

I S B N	978-986-507-765-5
定　　　價	330 元
初 版 一 刷	2022 年 4 月
劃 撥 帳 號	50148859
劃 撥 戶 名	采實文化事業股份有限公司
	104 台北市中山區南京東路二段 95 號 9 樓
	電話：(02)2511-9798　傳真：(02)2571-3298

國家圖書館出版品預行編目資料

Mess Tin 煮飯神器露營料理 / 戶外煮飯神器愛好會著；洪薇譯 . -- 初版 . -- 臺
北市：采實文化事業股份有限公司，2022.04
128　面；14.8×21　公分 . -- (生活樹系列；94)
譯自：メスティンレシピ
ISBN 978-986-507-765-5(平裝)

1.CST: 食譜 2.CST: 露營

427.1　　　　　　　　　　　　　　　　　　111002299